Grandes Personajes
Sam Houston

Barbara Kiely Miller

Consultora de lectura: Susan Nations, M.Ed., autora, tutora de
alfabetización, consultora de desarrollo de la lectura

WEEKLY READER
PUBLISHING

Please visit our web site at: www.garethstevens.com
For a free color catalog describing our list of high-quality books,
call 1-800-542-2595 (USA) or 1-800-387-3178 (Canada).

Library of Congress Cataloging-in-Publication Data

Kiely Miller, Barbara.
  [Sam Houston. Spanish]
  Sam Houston / by Barbara Kiely Miller.
    p. cm. — (Grandes personajes)
  Includes bibliographical references and index.
  ISBN-13: 978-0-8368-8329-9 (lib. bdg.)
  ISBN-13: 978-0-8368-8336-7 (softcover)
  ISBN-10: 0-8368-8329-2 (lib. bdg.)
  ISBN-10: 0-8368-8336-5 (softcover)
    1. Houston, Sam, 1793–1863—Juvenile literature.   2. Governors—Texas—
  Biography—Juvenile literature.   3. Legislators—United States—Biography—
  Juvenile literature.   4. United States. Congress. Senate—Biography—Juvenile
  literature.   5. Texas—History—To 1846—Juvenile literature.   I. Title.
  F390.H84K5418   2008
  976.4'04092—dc22   2007021119

This edition first published in 2008 by
Weekly Reader® Books
An imprint of Gareth Stevens Publishing
1 Reader's Digest Road
Pleasantville, NY 10570-7000 USA

Copyright © 2008 by Gareth Stevens, Inc.

Managing editor: Valerie J. Weber
Art direction: Tammy West
Cover design and page layout: Charlie Dahl
Picture research: Sabrina Crewe
Production: Jessica Yanke
Translators: Tatiana Acosta and Guillermo Gutiérrez

Picture credits: Cover, title page, p. 11 The Granger Collection, New York; p. 5 Sam
Houston Memorial Museum; p. 6 © David Muench/Corbis; pp. 7, 8, 10, 13, 17 Texas State
Library and Archives Commission; p. 14 Dave Kowalski and Charlie Dahl/© Gareth Stevens,
Inc.; p. 15 Courtesy of the State Preservation Board, Austin, Texas, CHA 1989.90, painting
by Henry McArdle, photograph by Perry Huston; p. 16 © Bettmann/Corbis; p. 19 © Getty
Images; p. 20 Charlie Dahl/© Gareth Stevens, Inc.; p. 21 photo courtesy of Top City
Photos www.top-city-photos.com.

Printed in the United States of America

1 2 3 4 5 6 7 8 9 11 10 09 08 07

Contenido

Cubierta y portada: Sam Houston fue gobernador de Tennessee y de Texas. Houston luchó para lograr que Texas se independizara de México, ¡y lo consiguió!

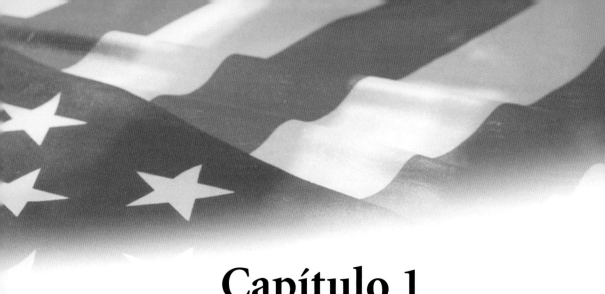

Capítulo 1

De granjero a héroe

Sam Houston, erguido sobre el caballo, estaba
preparado para el ataque. Era el líder de ochocientos
hombres. Su pequeño ejército de Texas estaba a punto
de enfrentarse a casi el doble de soldados mexicanos.
De esa batalla dependía que Texas se separara de
México y lograra la libertad.

Los mexicanos no vieron la llegada de los texanos, y el pequeño ejército, gracias a su ataque por sorpresa, ganó la batalla. Texas era ahora una **república** libre. Sam Houston sería poco después su primer presidente.

Después de que Texas entrara a formar parte de Estados Unidos, Houston también sirvió en el **Congreso** y como gobernador del estado. Pero sobre todo, es recordado como el líder que logró la libertad de Texas.

Houston lideró a sus hombres en la batalla. Les dijo que tenían que atacar al ejército mexicano, que los superaba en número, o abandonar cualquier esperanza de lograr la independencia.

La familia Houston se mudó a una granja como ésta en el este de Tennessee. A sus hermanos mayores les gustaba la vida en el campo, pero Sam Houston deseaba más aventuras.

Samuel Houston nació el 2 de marzo de 1793 cerca de Lexington, Virginia. Tenía cinco hermanos y tres hermanas. Su padre era soldado, y murió cuando Houston tenía trece años. Poco después de la muerte del padre, la madre decidió que la familia se trasladara a una granja en Tennessee.

Sam Houston no quería ser granjero. Cuando tenía quince años, se escapó para ir a vivir con un grupo de indios cheroquíes. Tres años después, Houston volvió a casa, pero siguió siendo amigo de los cheroquíes el resto de su vida, y trató de ayudarlos a ellos y a otros grupos de indígenas americanos.

Sam Houston vivió con el jefe Oolooteka (*izquierda*) y su grupo cheroquí. El jefe quería a Sam como a un hijo.

7

En 1813, Houston cumplió veinte años. Estados Unidos estaba en guerra con Gran Bretaña, y Houston se unió al ejército para luchar contra los indios creeks, que colaboraban con los británicos. Houston fue un soldado valiente y diestro. En 1814, fue herido de gravedad en una batalla.

Tras recibir un flechazo, Houston le pidió a otro soldado que sacara la flecha para poder seguir luchando.

Capítulo 2

Un líder para Tennessee

En 1818, Houston se hizo abogado en Nashville,
Tennessee. Cinco años después, los votantes de
Tennessee lo eligieron como su **representante** en el
Congreso. Houston pasó cuatro años haciendo leyes
en la capital de la nación.

A Sam Houston le gustaba ayudar a la gente de su estado. En 1827, a la edad de treinta y cuatro años, fue elegido gobernador de Tennessee. Sin embargo, Houston sólo estuvo en el cargo dos años. En 1829, volvió a vivir con su familia cheroquí, que vivía ahora en el este de Oklahoma.

Este cuadro muestra a Houston durante su etapa en el Congreso. Como congresista, denunció con frecuencia el mal trato dado a los cheroquíes.

El gobierno de Estados Unidos había obligado a los cheroquíes a abandonar sus tierras. Sin embargo, el área que recibieron era más pequeña que la que el gobierno les había prometido. Además, el gobierno no había pagado la cantidad de dinero que les debía. Houston luchó por conseguir un trato más justo para los cheroquíes.

Los amigos cheroquíes de Houston se trasladaron a Oklahoma en 1818. Veinte años después, el gobierno obligó a los cheroquíes de Georgia a mudarse también a esa zona. Miles de ellos murieron durante el largo viaje.

Capítulo 3

La lucha por la independencia de Texas

Después de pasar tres años con los cheroquíes, Sam Houston se mudó a Texas en 1832. Texas era entonces un estado de México, pero miles de personas de Estados Unidos se habían asentado en la zona. Estos colonos recibían el nombre de "anglos". Muchos anglos no querían obedecer las leyes de México. Houston y otros pensaban que Texas debía luchar para separarse de México.

Houston se convirtió en el líder militar del pueblo de Nacogdoches. El 2 de marzo de 1836, se reunió con otros líderes texanos. Estos hombres firmaron la **Declaración de Independencia** de Texas, que proclamaba que Texas ya no pertenecía a México. También redactaron la **Constitución** de la República de Texas, que daba a Texas leyes propias. Los hombres eligieron a Sam Houston como jefe del ejército.

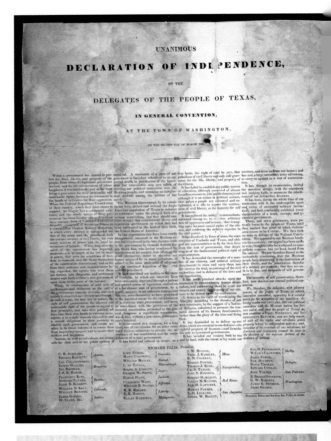

Los firmantes de la Declaración de Independencia de Texas representaban a todas las poblaciones texanas. El nombre de Sam Houston aparece en la columna de la derecha.

13

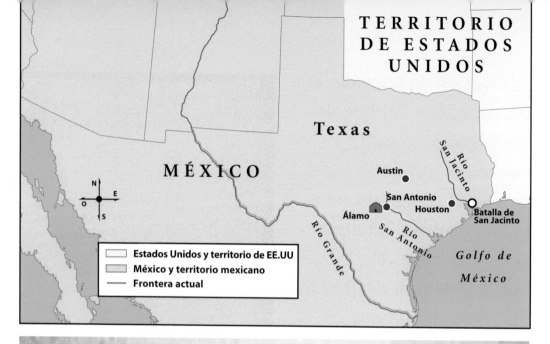

Texas y el resto de la zona en color naranja pertenecieron a México en el pasado. Parte de El Álamo, en San Antonio, todavía se conserva.

El líder mexicano era Antonio López de Santa Anna, que quería que Texas siguiera siendo parte de México. Santa Anna tenía un ejército de cuatro mil hombres. El 6 de marzo de 1836, atacó el fuerte anglo de San Antonio, conocido como El Álamo. Dentro del fuerte había menos de trescientos hombres. A pesar de luchar valerosamente, todos los sitiados murieron.

Con sólo ochocientos hombres, Sam Houston persiguió a Santa Anna y su ejército. El 21 de abril, Houston encontró a Santa Anna y sus mil cuatrociento soldados acampados cerca del río San Jacinto. Los texanos atacaron al grito de "Recuerden El Álamo". La lucha sólo duró veinte minutos. ¡Houston había vencido! En la batalla murieron sólo seis anglos y más de seiscientos soldados mexicanos.

Este cuadro de la batalla de San Jacinto fue completado en 1895. En él se ve a Houston en el centro, de pie junto a un cañón mexicano y agitando su sombrero.

Santa Anna (*inclinándose*) se rindió a Sam Houston tras ser capturado. Más adelante, pudo regresar a México.

Durante la batalla, Houston recibió un disparo en el tobillo. El día después, descansó mientras sus soldados capturaban a Santa Anna. El líder mexicano le dijo a Houston que dejaría de luchar. Houston lo había conseguido: ¡había obtenido la independencia! Texas ya era una nación.

Houston fue el primer y el tercer presidente de la nueva República de Texas. También logró contener a México, que trató de recuperar Texas.

Los texanos nombraron una ciudad en su honor. Houston sería la capital de Texas los dos años siguientes.

Esta cabaña en la ciudad de Houston fue la casa del presidente. Más tarde, la ciudad de Austin se convirtió en la capital de la República y del estado de Texas.

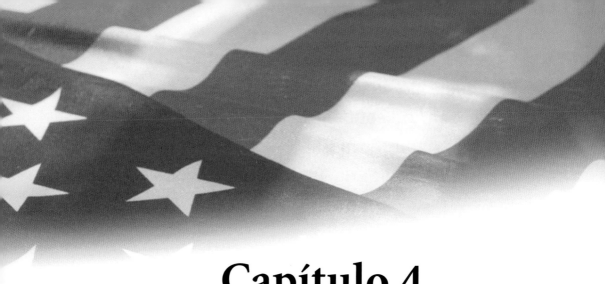

Capítulo 4

Texas se convierte en estado

En 1840, Sam Houston se casó. Houston y su mujer, Margaret, tuvieron cuatro hijos y cuatro hijas.

El 29 de diciembre de 1845, Texas se convirtió en estado y se unió a Estados Unidos. Houston fue uno de los dos senadores de Texas. Resultó elegido dos veces más, y ejerció su cargo en Washington, D.C., desde 1846 hasta 1859.

Houston discrepaba con frecuencia de otros miembros del Congreso. Tenía **esclavos**, y no pensaba que fuera necesario acabar con la esclavitud, pero también opinaba que los nuevos territorios que querían unirse a Estados Unidos no debían aprobar la esclavitud. Muchas personas, especialmente en los estados del Norte, pensaban que la esclavitud no debía existir en ninguna parte.

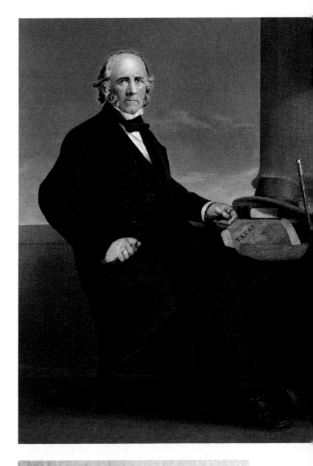

Durante veinticinco años, Sam Houston sirvió al pueblo de Texas como líder en el gobierno.

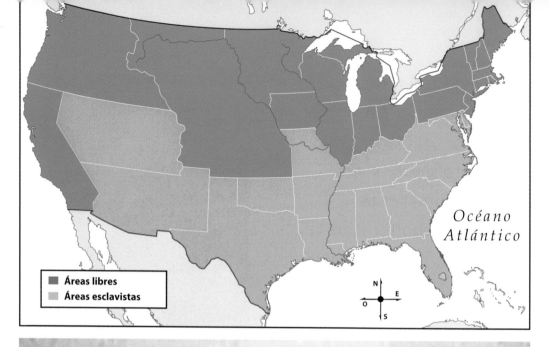

Océano
Atlántico

■ Áreas libres
■ Áreas esclavistas

N
E
O
S

Este mapa muestra en qué zonas se permitía la esclavitud. Las discrepancias sobre la esclavitud provocaron la **Guerra Civil** en Estados Unidos.

En diciembre de 1859, Houston se convirtió en gobernador de Texas. En 1861, Texas y otros estados sureños, que no querían abandonar la esclavitud, se separaron de los estados del Norte y nombraron un gobierno propio. Houston sabía que esta separación llevaría a una guerra, y que el Norte, más poderoso, triunfaría.

Houston permaneció leal al gobierno del Norte. El 16 de marzo de 1861, los texanos lo obligaron a abandonar el cargo de gobernador. Un mes después, comenzó la Guerra Civil. Houston se mudó con su familia a Huntsville, Texas, donde murió el 26 de julio de 1863. Sam Houston es la única persona en la historia de Estados Unidos que ocupó el cargo de gobernador en dos estados diferentes y, sobre todo, fue el héroe de Texas que derrotó a un numeroso ejército y logró la libertad.

Esta estatua de Sam Houston, en Huntsville, Texas, es la estatua más grande de un héroe de Estados Unidos.

Glosario

abogado — persona cuyo trabajo consiste en dar consejo legal y representar a otra persona en los tribunales

anglos — personas blancas angloparlantes que no son hispanas

capital — ciudad donde se encuentra el gobierno de un estado o nación

Congreso — parte del gobierno de Estados Unidos encargada de hacer las leyes. Las personas que forman parte del Congreso reciben el nombre de congresistas y senadores.

Constitución — documento que declara cómo se gobernará una nación

Declaración de Independencia — documento en que los ciudadanos declaran ser independientes de otro país

esclavos — personas que son consideradas propiedad de alguien y obligadas a trabajar sin recibir dinero. Los esclavos carecen de libertad.

gobernador — persona que gobierna un estado

Guerra Civil — guerra entre los estados del Norte y del Sur de Estados Unidos entre 1861 y 1865

representante — alguien elegido para actuar en nombre de otros

república — nación en que los ciudadanos eligen a sus representantes

Para más información

Libros

El Álamo/The Alamo. Símbolos de libertad/Symbols of
   Freedom (series). Ted Schaefer and Lola M. Schaefer
   (Heinemann)

Sam Houston. First Biographies (series). Lisa Trumbauer
   (Capstone Press)

Sam Houston. What's So Great About . . . ? (series). Susan
   Sales Harkins and William H. Harkins (Mitchell Lane
   Publishers)

Texas: El estado de la estrella solitaria. Biblioteca de los estados
   (series). Rachel Barenblat (Gareth Stevens Publishing)

Índice

Información sobre la autora

Barbara Kiely Miller es correctora y escritora de libros educativos para niños, y se graduó en creación literaria en la Universidad de Wisconsin–Milwaukee. Barbara vive en Shorewood, Wisconsin, con su esposo y sus dos gatos: Ruby y Sophie. Cuando no está escribiendo o leyendo libros, Barbara disfruta practicando la fotografía, el ciclismo y la jardinería.